Este es un grillo.
El grillo es pequeño.

Este es un oso.
El oso es grande.

Este es un niño.
El niño es más grande que el grillo y más pequeño que el oso.

El oso come en un cubo.

El niño come en un tazón
y el grillo come en
una tapa.

El oso duerme en el suelo
sobre una alfombra.

El niño duerme en la cama.
El grillo duerme en una cáscara
de maní.

Buenas noches, grillo.
Buenas noches, niño.
Buenas noches, oso.

Good night, Bug.
Good night, Boy.
Good night, Bear.

The Boy sleeps in a bed.
The Bug sleeps in a peanut shell.

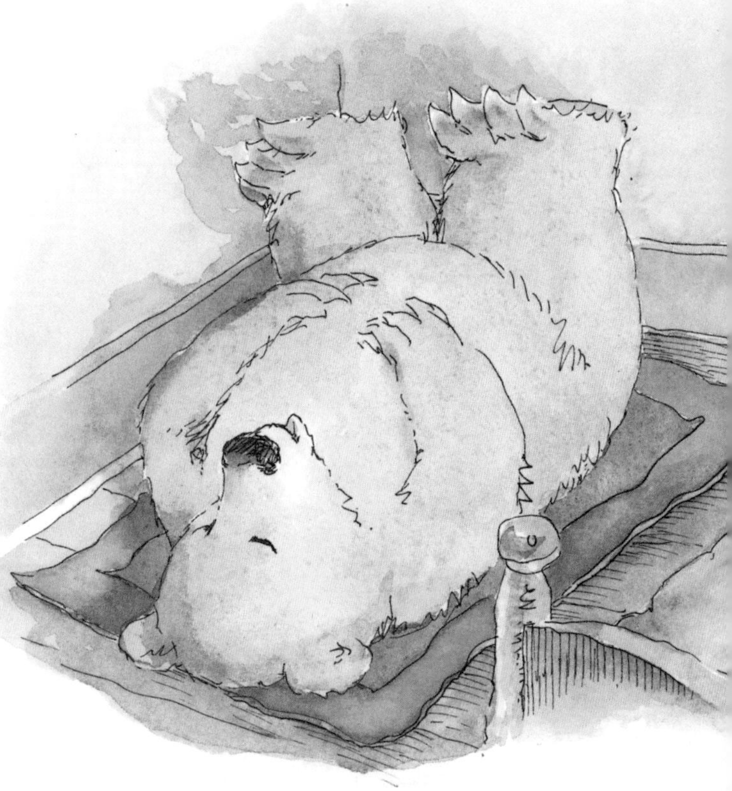

The Bear sleeps on a rug
on the floor.

The Boy eats from a bowl.
And the Bug eats from
a bottle cap.

The Bear eats
from a bucket.

This is a Boy.
The Boy is bigger than the Bug
and smaller than the Bear.

This is a Bear.
The Bear is big.

This is a Bug.
The Bug is little.